BWRLWM

TRYCHINEBAU NATURIOL

Jillian Powell

Addasiad Lynwen Rees Jones

PRIFYSGOL
ABERYSTWYTH

RISING★STARS

01875

Cyhoeddwyd dan nawdd
Cynllun Adnoddau Addysgu a Dysgu CBAC

Y fersiwn Saesneg:
Download: Natural Disasters

Cyhoeddwyd 2007
Rising Stars UK Ltd, 22 Grafton Street, Llundain W1S 4EX
Testun © Rising Stars UK Ltd.

Y fersiwn Cymraeg hwn:
© Prifysgol Aberystwyth, 2010 ⓑ

Cyhoeddwyd gan CAA, Prifysgol Aberystwyth,
Plas Gogerddan, Aberystwyth, SY23 3EB
(www.caa.aber.ac.uk).

Noddwyd gan Lywodraeth Cynulliad Cymru.

Cyhoeddwyd dan nawdd Cynllun Adnoddau Addysgu a Dysgu
CBAC.

Cyfieithydd/Golygydd: Lynwen Rees Jones
Dylunydd: Richard Huw Pritchard
Argraffwyr: Argraffwyr Cambria

Diolch i Eirian Jones ac Angharad Walpole am eu cymorth
wrth brawfddarllen.

Diolch hefyd i Ruth Davies, Siân Powys a Meinir Rees am eu
harweiniad gwerthfawr.

Darluniau: Chris King: tt 22-23, 30-31, 36-39; Oxford
Illustrators and Designers: tt 13, 14, 27
Ffotograffau: Alamy: tt 4-5, 7, 10, 14-15, 19, 20, 25, 32, 35,
40, 41, 43; Corbis: tt 6, 9, 19, 24-25, 28, 29, 35, 43; Getty
Images: tt 8, 11, 12, 13, 15, 16-17, 18, 21, 26-27, 33, 41,
42, 43: Kobal: t 34; TopFoto: tt 6-7

Ymchwil ffotograffau gan Zooid Pictures Ltd.

ISBN: 978-1-84521-347-3

Cynnwys

Nerth natur

Mae **daeargryn** a **llosgfynydd** yn ysgwyd y ddaear.

Mae **corwynt** a **tsunami** yn dinistrio dinasoedd. Maen nhw hefyd yn lladd miloedd o bobl.

Mae'r rhain yn dangos nerth natur.

Ffaith!

Mae bron 400 trychineb naturiol yn digwydd bob blwyddyn.

Trychinebau naturiol enwog

Mae rhai trychinebau naturiol yn enwog.

Pompeii

Yn y flwyddyn OC 79, ffrwydrodd mynydd Vesuvius. Cafodd tref Pompeii ei chladdu o dan bentwr o ludw.

Cafodd pawb oedd yn byw yno eu lladd.

Krakatoa

Ffrwydrodd y llosgfynydd Krakatoa yn 1883. Cafodd ynys gyfan ei dinistrio.

Roedd y ffrwydrad mor gryf â miliwn o fomiau atomig.

Cododd cwmwl o ludw 80 cilometr i'r awyr. Roedd tsunami hefyd. Roedd tonnau 36 metr o uchder i'r tsunami.

San Francisco

Roedd daeargryn enfawr yn San Francisco yn 1906.

Agorodd **ffawt** San Andreas am dros 430 cilometr.

Roedd tanau yn llosgi am dri diwrnod.

Collodd llawer o bobl eu cartref. Cafodd miloedd eu lladd.

Cyfarfod â'r arbenigwyr

Mae gwyddonwyr yn ceisio gweld a oes trychineb naturiol yn mynd i ddigwydd.

Maen nhw'n defnyddio **synhwyrydd** (*sensor*), **radar** a **lloeren** (*satellite*) i gasglu data.

Mae gwyddonwyr yn edrych ar batrymau **tonnau seismig** ac yn eu cymharu gyda rhai sydd wedi bod o'r blaen.

Yna mae'r gwyddonwyr yn rhoi'r data i mewn i gyfrifiadur.

Dyma fodel o tsunami ar sgrin cyfrifiadur. Mae'n helpu gwyddonwyr i weld a fydd y tsunami yn cyrraedd y tir.

Mae anifeiliaid yn gallu dweud a oes rhywbeth yn mynd i ddigwydd hefyd. Mae rhai gwyddonwyr yn credu bod anifeiliaid yn synhwyro bod trychineb naturiol yn mynd i ddigwydd. Ond does neb yn siŵr.

Roedd eliffantod yn sgrechian ac yn rhedeg am y tir uchel cyn y tsunami yn Indonesia yn 2004.

Timau brys

Mae timau brys yn helpu mewn trychineb naturiol. Maen nhw'n teithio i ardal y trychineb er mwyn achub pobl.

Timau chwilio ac achub

Mae timau chwilio ac achub yn chwilio am bobl sydd ar goll ar ôl daeargryn neu drychineb arall.

Maen nhw'n gweithio gyda chŵn a robotiaid. Maen nhw'n defnyddio **camerâu isgoch** (*infrared*) i ddod o hyd i bobl.

Asiantaethau cymorth

Mae asiantaethau cymorth yn codi pebyll ac ysbytai brys i drin y rhai sydd wedi brifo.

Maen nhw'n anfon bwyd, dŵr, dillad a blancedi. Maen nhw'n helpu teuluoedd i ddod yn ôl at ei gilydd.

Y Fyddin

Mae sawl byddin yn teithio at y bobl sydd angen help.

Maen nhw'n helpu i achub pobl.

Daeargrynfeydd

Mae **daeargryn** yn gallu dinistrio dinas gyfan.
Mae **tirlithriad** a tsunami yn gallu digwydd ar
ôl daeargryn.

Ffaith!

Digwyddodd daeargryn
enfawr yn Chile yn 1960.

Sut maen nhw'n digwydd?

Mae **cramen** (wyneb) y Ddaear wedi'i gwneud o blatiau, neu haenau o graig. Mae'r platiau'n cyfarfod ar **linellau ffawt**.

Weithiau mae'r platiau'n taro yn erbyn ei gilydd. Mae hyn yn creu daeargryn.

Yr **uwchganolbwynt** ydy'r enw ar y lle mae hyn yn digwydd.

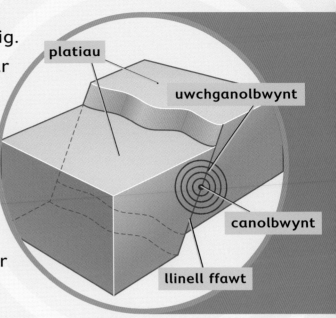

platiau

uwchganolbwynt

canolbwynt

llinell ffawt

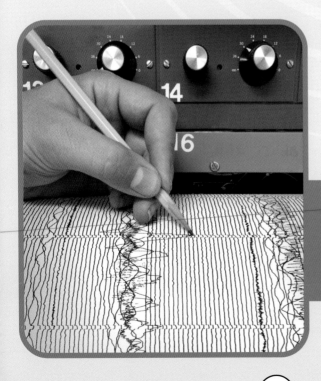

Mae gwyddonwyr yn defnyddio **seismomedr** i fesur daeargryn.

Tsunamis

Ton enfawr ydy tsunami.

Mae rhai tonnau tsunami yn 200 cilometr o hyd. Maen nhw'n gallu teithio cannoedd o gilometrau. Maen nhw'n gallu mynd 800 km yr awr.

Ffaith!

Mae tonnau tsunami yn tyfu pan fyddan nhw'n mynd yn agos at yr arfordir.

Sut maen nhw'n digwydd?

Mae daeargryn yn codi rhan o wely'r môr. Mae hyn yn gwthio llawer iawn o ddŵr i fyny.

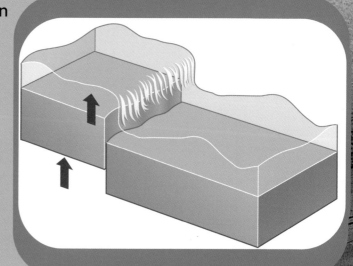

Mae tonnau enfawr yn teithio allan o'r uwchganolbwynt.

Tsunami 2004

Ar 26 Rhagfyr 2004, cafodd Cefnfor India ei ysgwyd gan ddaeargryn enfawr. Cododd hyn tsunami. Cafodd miloedd o bobl eu lladd.

Arfordir Indonesia

Cyn y tsunami

Ar ôl y tsunami

Astudiaeth achos: cymorth brys

00.58.51 GMT. Dydd San Steffan 2004

Mae tsunami enfawr yn taro de Asia. Mae dros 230,000 o bobl yn cael eu lladd. Mae miloedd yn cael eu hanafu ac yn colli eu cartref.

Mae pobl ar draws y byd yn anfon cymorth.

Mae bwyd, dŵr, cysgod, blancedi a meddyginiaeth yn cael eu hanfon mewn llongau ac awyrennau.

Mae lorïau a hofrenyddion yn cario'r cymorth at y bobl.

Mae'n bosib cario 18 tunnell o gymorth mewn un hofrennydd.

Llosgfynyddoedd

Mae gan ein planed ni **graidd** (canol) o dân yn ddwfn o dan gramen y Ddaear. Weithiau rhaid i greigiau a nwyon poeth ddianc. Maen nhw'n ffrwydro allan drwy losgfynydd.

Mae llosgfynydd yn ddramatig ac yn farwol.

Mae'n gallu claddu trefi o dan ludw a **lafa**.

Mae'n gallu creu tsunami a chuddio'r haul.

Yn 1980 ffrwydrodd mynydd St Helens yn Washington yn yr Unol Daleithiau. Cafodd 58 o bobl eu lladd ac roedd gwerth $1 biliwn o ddifrod.

Roedd nerth y ffrwydrad dros 1000 km yr awr. Clywodd pobl y ffrwydrad yng Nghanada.

Ffaith!
Weithiau mae llosgfynydd yn ffrwydro o dan y môr gan greu ynys newydd.

Mae'r llosgfynyddoedd mwyaf peryglus o'r golwg o dan y ddaear. **Uwchlosgfynydd** ydy'r enw ar un o'r rhain.

Mae un o uwchlosgfynyddoedd mwyaf y byd o dan Barc Cenedlaethol Yellowstone yn Unol Daleithiau America. Mae'n ffrwydro bob 600,000 o flynyddoedd.

Roedd y ffrwydrad diwethaf 640,000 o flynyddoedd yn ôl!

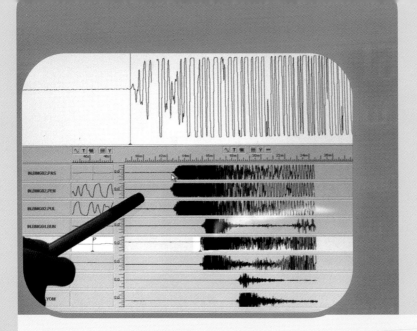

Mae gwyddonwyr yn defnyddio offer i 'wrando' ar losgfynyddoedd byw.

Maen nhw'n defnyddio **lloeren** i gael data tymheredd.

Maen nhw'n defnyddio **synhwyrydd** i 'glywed' newidiadau yn nwyon y llosgfynydd o 20 cilometr i ffwrdd.

Mae astudio llosgfynydd yn waith peryglus iawn. Yn 1993, cafodd chwech gwyddonydd eu lladd yn Columbia. Roedden nhw'n astudio crater llosgfynydd byw pan ffrwydrodd yn sydyn.

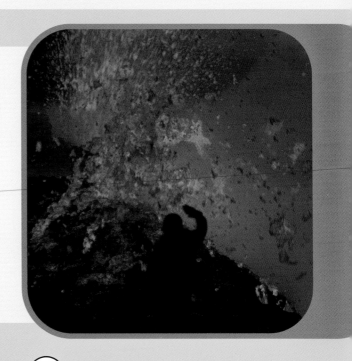

Trwbl y Tornado
(Rhan un)

"Brysia, Carwyn!"

Roedd Mr Thomson yn swnio ychydig yn grac erbyn hyn.

Roedd Carwyn yn gwneud llosgfynydd ac roedd gweddill y dosbarth wedi gorffen eu rhai nhw. Ond roedd Carwyn eisiau gwneud uwchlosgfynydd. Roedd e wedi adeiladu'r model a'i beintio. Nawr dim ond y gymysgedd oedd ar ôl. Beth ddywedodd Mr Thomson? Cymysgu'r sebon a'r powdr pobi … tywallt hwnnw i mewn. Nawr, ychwanegu'r finegr a sefyll yn ôl …

BANG!

Ffrwydrodd llosgfynydd Carwyn dros y dosbarth.

Roedd darnau o ewyn ar y bwrdd gwyn.
Roedd ychydig ar dei Mr Thomson hyd yn
oed. Roedd y dosbarth cyfan yn chwerthin …
Ond doedd Mr Thomson ddim yn chwerthin.
Roedd e bron â ffrwydro ei hun!

Parhad ar dudalen 30

Corwyntoedd

Storm fawr ydy **corwynt**. Enw arall ar gorwynt ydy **teiffŵn** neu **seiclon**.

Mae'n gallu dinistrio coed, ceir a thai ar dir sych. Mae'n gallu dinistrio dinas gyfan.

Ffeithiau!

Mae corwynt bob amser yn troi o amgylch **llygad**.

Mae enwau corwyntoedd yn nhrefn yr wyddor.

Mae gwyddonwyr yn gallu gweld beth fydd llwybr corwynt a pha mor gryf fydd e. Maen nhw'n defnyddio cyfrifiaduron i'w helpu.

Mae rhai pobl yn hedfan awyrennau i ganol corwynt i gasglu data.

Tornados

Twnnel o wynt sy'n symud yn gyflym ydy **tornado**. Enw arall ar dornado ydy **trowynt**. Mae tornado'n gallu sugno ceir a gwartheg i fyny a gwneud i adeiladau ffrwydro.

Sut maen nhw'n digwydd?

1. Mae aer cynnes ac aer oer yn dod at ei gilydd.

2. Mae cymylau storm yn dechrau troi mewn cylch.

3. Mae'r aer cynnes yn cael ei sugno i fyny.

4. Mae'n gwneud twnnel o wynt. Mae'r gwynt yn cylchdroi yn gyflymach ac yn gyflymach.

Ffaith!

Mae tornados yn cael eu mesur ar y raddfa Fujita o F0 hyd at F5. Mae tornado F5 yn chwythu dros 320 km yr awr. Mae'n dinistrio adeiladau concrit.

Mae mwy o dornados yn digwydd yn yr Unol Daleithiau nag yn unrhyw wlad arall.

Minnesota

De Dakota

Iowa

Nebraska

Colorado

Kansas

Llwybr y Tornados

Oklahoma

Texas

Yr enw ar y tir rhwng gorllewin Texas a Dakota ydy 'Llwybr y Tornados'.

Llifogydd a thirlithriadau

Llifogydd

Mae llifogydd yn gallu digwydd pan fydd:

- ◎ glaw trwm
- ◎ afonydd yn gorlifo
- ◎ eira'n toddi
- ◎ stormydd cryf ar yr arfordir.

Mae rhai llifogydd yn digwydd heb rybudd. Yr enw ar hyn ydy 'llifogydd sydyn' (*flash floods*).

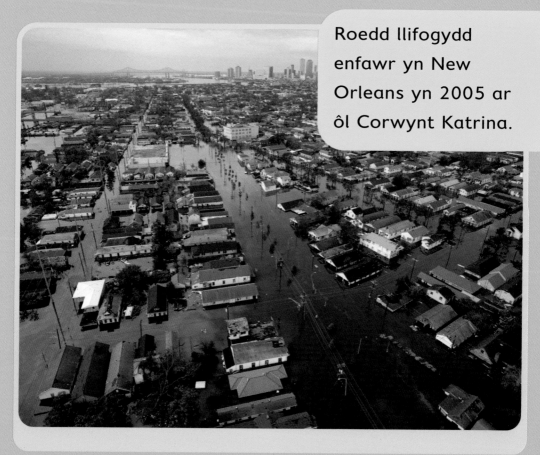

Roedd llifogydd enfawr yn New Orleans yn 2005 ar ôl Corwynt Katrina.

Tirlithriadau

Mae tirlithriadau yn gallu claddu pentrefi a lladd miloedd o bobl.

Mae glaw yn gallu achosi tirlithriad.

Daw'r mwd sydd ar ochr y mynydd yn rhydd oherwydd y glaw. Yna mae'r mwd yn llithro i lawr y mynydd.

Trwbl y Tornado
(Rhan dau)

Doedd Mr Thomson ddim wedi anghofio damwain y llosgfynydd. Roedd yn cadw llygad ar Carwyn.

"Wyt ti'n gwrando, Carwyn?"

"Mm … ydw, Mr Thomson."

Roedd Carwyn yn edrych drwy'r ffenest. Roedd rhywbeth rhyfedd yn digwydd y tu allan.

Roedd yr awyr wedi tywyllu. Roedd cenllysg yn taro yn erbyn y ffenestri. Roedd y gwynt yn codi. Roedd bag papur yn troi a throi o amgylch y cae chwarae.

"Felly, beth ydy'r gwahaniaeth rhwng corwynt a theiffŵn?"

"Tornado … dwi'n meddwl mai tornado ydy e," meddai Carwyn.

"Nid tornado!" gwaeddodd Mr Thomson. "Byddwn ni'n astudio tornados yr wythnos nesaf!"

Ond doedd Carwyn ddim yn gwrando. Roedd e'n gwylio'r cwmwl mawr du. Roedd yn dod yn nes ac yn nes.

Parhad ar dudalen 36

Sychder a thanau mewn coedwigoedd

Sychder

Mae sychder yn digwydd pan does dim glaw wedi bod ers amser hir.

Mae'r ddaear yn cracio. Dydy'r cnydau ddim yn tyfu. Mae anifeiliaid a phobl yn marw.

Mae sychder yn gallu para am fisoedd neu flynyddoedd.

Tanau mewn coedwigoedd

Mae coedwig yn mynd yn sych iawn mewn sychder. Mae tân yn dechrau'n hawdd ac yn mynd i bobman yn gyflym.

Trychinebau naturiol ar ffilm

Mae arwyr mewn ffilmiau yn herio trychinebau naturiol.

Maen nhw'n achub y byd rhag cael ei ddinistrio. Fyddai hyn yn gallu digwydd go iawn tybed?

The Core (2003)

Trychineb naturiol Mae'r Ddaear wedi stopio troi. Mae hyn yn achosi stormydd trydanol enfawr.

Beth maen nhw'n wneud? Defnyddio ffrwydrad anferth i wneud i'r Ddaear droi unwaith eto.

Fyddai hyn yn gallu digwydd? Dydy gwyddonwyr ddim yn meddwl y bydd y Ddaear byth yn stopio troi.

Armageddon (1995)

Trychineb naturiol Mae asteroid maint Texas ar fin taro'r Ddaear.

Beth maen nhw'n wneud? Drilio twll yn yr asteroid. Yna ei ffrwydro'n ddarnau.

Fyddai hyn yn gallu digwydd? Byddai, ond dim ond pob 50 i 100 miliwn o flynyddoedd mae asteroid mor fawr â hyn yn dod i'r Ddaear!

The Day After Tomorrow (2004)

Trychineb naturiol Mae'r rhew ym Mhegwn y Gogledd a Phegwn y De wedi toddi. Mae hyn yn achosi stormydd enfawr ac oes iâ newydd.

Beth maen nhw'n wneud? Cuddio nes i'r stormydd fynd.

Fyddai hyn yn gallu digwydd? Mae'r hinsawdd *yn* newid – ond dros flynyddoedd, nid dyddiau, fel yn y ffilm.

Trwbl y Tornado
(Rhan tri)

"Mr Thomson! Tornado ydy e … ac mae'n dod tuag aton ni!"

Neidiodd Carwyn ar ei draed, gan bwyntio allan drwy'r ffenest.

"O ie, doniol iawn," meddai Mr Thomson. "Ti ydy'r unig dornado yn y …"

CLEC!

Edrychodd Carwyn allan.

Roedd yr awyr yn ddu. Roedd y cwmwl mawr du yn chwyrlïo fel twndis neu dwmffat. Roedd yn sugno popeth i fyny.

Hedfanodd bin sbwriel heibio i'r ffenest. Cwympodd brics a theils o'r awyr. Roedd larwm car yn sgrechian.

"I lawr, pawb!" gwaeddodd Mr Thomson. "O dan y desgiau!"

Parhad ar y dudalen nesaf

Roedd yr ysgol yn ysgwyd. Torrodd y ffenestri. Roedd darnau o wydr yn hedfan i bob man.

Roedd y cyfan drosodd mewn llai na munud. Cliriodd yr awyr a stopiodd y sŵn.

Safodd pawb ar eu traed ac edrych allan drwy'r ffenestri rhacs.

Roedd y ffens yn fflat. Roedd car wedi cael ei godi ac wedi glanio wrth y giât. Roedd wal y bloc gwyddoniaeth wedi ei rhwygo. Roedd y meinciau i gyd yn y golwg.

"Pawb yn iawn?" Roedd Mr Thomson yn crynu.

Edrychodd ar ei oriawr. "14.54 GMT," meddai. "A dwi'n meddwl ein bod ni newydd gael ein tornado ein hunain."

"Byddwn ni'n astudio tornados yr wythnos yma wedi'r cyfan!" sibrydodd Carwyn.

Ofnau'r dyfodol

Asteroid enfawr

Mae rhai asteroidau yn fwy na chilometr o led.

Os bydd asteroid yn taro'r môr bydd tsunami anferth.

Uwchlosgfynydd

Os bydd uwchlosgfynydd yn ffrwydro, bydd lludw yn cuddio'r Haul a bydd **hinsawdd** y Ddaear yn newid dros nos.

Os bydd un uwchlosgfynydd yn ffrwydro, byddwn i gyd yn marw!

Ffagliad heulol

Os bydd **ffagliad heulol** (*solar flare*) enfawr yn digwydd bydd cyfrifiaduron a ffonau'n cael eu diffodd. Bydd y Ddaear yn cael ei gadael heb unrhyw bŵer.

Mega-tsunami

Gallai un tirlithriad mawr yn yr Ynysoedd Dedwydd greu mega-tsunami. Byddai'r don enfawr yn dinistrio arfordir dwyrain America.

Cynhesu byd-eang

Cynhesu byd-eang ydy'r trychineb naturiol mwyaf heddiw. Mae'n cael ei achosi gan nwy carbon o geir a diwydiant.

Os bydd y byd yn cynhesu o 3°C i 6°C, mae'n bosib y bydd trychineb.

Rhew a rhewlifoedd Pegwn y Gogledd a Phegwn y De yn toddi.

Lefel y môr yn codi, ac yn gadael 200 miliwn o bobl heb gartref.

Cnydau ddim yn tyfu oherwydd sychder.

40% o rywogaethau yn diflannu.

Beth fyddai'n digwydd?

Mwy a mwy o stormydd ffyrnig.

Cwis

1 Beth ddigwyddodd i Pompeii yn OC 79?

2 Pa signalau mae gwyddonwyr yn eu defnyddio i ragweld trychineb?

3 Beth sy'n creu y rhan fwyaf o tsunamis?

4 Beth ydy'r enw arall ar gorwynt?

5 O gwmpas beth mae corwynt yn troelli?

6 Beth ydy'r enw arall ar dornado?

7 Sut mae pobl yn mesur tornados?

8 Beth ydy uwchlosgfynydd?

9 Ble mae un o'r uwchlosgfynyddoedd mwyaf?

10 Sut, efallai, y byddai ffagliad heulol anferth yn effeithio ar fywyd ar y Ddaear?

Geirfa

asteroid	Darn o graig yn y gofod.
camerâu isgoch	Maen nhw'n dangos mannau cynnes lle mae pobl, neu lle maen nhw wedi bod.
corwynt	Storm, sydd yn aml yn drofannol, gyda gwynt nerthol.
craidd	(*core*) Canol y Ddaear.
cramen y Ddaear	Yr haen o greigiau sydd dros wyneb y Ddaear.
daeargryn	Pan fydd platiau cramen y Ddaear yn taro yn erbyn ei gilydd.
ffagliad heulol	(*solar flare*) Ffrwydrad sy'n gollwng nwyon ac ymbelydredd o'r Haul.
hinsawdd	Y tywydd ar draws y byd.
lafa	Craig boeth, hylifol sy'n llifo allan drwy losgfynydd.
llinell ffawt	Llinellau sy'n dangos bod cramen y Ddaear wedi symud.
lloeren	(*satellite*) Mae'n troelli o gwmpas y Ddaear yn y gofod ac yn casglu data.
llosgfynydd	Twll, fel arfer mewn mynydd, lle mae creigiau a nwy poeth yn ddwfn o dan wyneb y Ddaear yn ffrwydro.
llygad	Y canol llonydd sydd fel arfer gan gorwynt.
radar	Offer sy'n defnyddio tonnau egni i ddarganfod pethau.
rhywogaeth	Teulu o anifeiliaid neu blanhigion sydd yr un fath.
seiclon	Enw arall ar gorwynt.
seismomedr	Mae'n mesur signalau seismig.
synhwyrydd	(*sensor*) Offer sy'n gweld newid yn y lleithder a'r tymheredd a data arall.
teiffŵn	Enw arall ar gorwynt.

tirlithriad	Darn mawr o dir yn cael ei olchi i ffwrdd gan ddŵr.
tonnau seismig	Tonnau sioc sy'n teithio trwy'r ddaear ac sy'n gallu ein helpu i ragweld pryd fydd llosgfynydd yn ffrwydro.
tornado	Twnnel o wynt sy'n symud yn gyflym iawn.
trowynt	Enw arall ar dornado.
trychineb	Anffawd mawr.
tsunami	Ton enfawr.
uwchganolbwynt	Canol daeargryn.
uwchlosgfynydd	Llosgfynydd enfawr o dan y ddaear.

Adnoddau a gwybodaeth

Llyfrau

Hanes y Ddaear: Llosgfynydd
Lionel Bender
Cyhoeddwr Dref Wen (ISBN: 9780946962754)
Esbonio sut mae llosgfynyddoedd yn cael eu ffurfio.

Dagrau'n Disgyn...Golwg ar Wledydd sy'n Datblygu
Colin Isaac
Cyhoeddwr CAA (ISBN: 9781856444248)
Sut mae trychinebau naturiol yn effeithio ar wledydd tlawd.

Gwefannau

www.phschool.com/science/planetdiary
Dyddiadur trychinebau naturiol wrth iddyn nhw ddigwydd o amgylch y byd.

www.esa.int/esaKIDsen/Earth.html
Gwefan yr *European Space Agency* yn rhoi gwybodaeth am y Ddaear a thrychinebau naturiol.

DVD

Eyewitness Interactive: Natural Disasters (2003)
Jill Matthews
Dorling Kindersley (Rhif cat. B00004TT5U)

Raging Planet: Angry Earth (2005)
Discovery Channel (Rhif cat. B0009X74WU)
Daeargrynfeydd, eirlithriadau a llosgfynyddoedd – a thechnoleg glyfar i'n rhybuddio.

Atebion

1 Cafodd ei ddinistrio pan ffrwydrodd Mynydd Vesuvius.

2 Signalau seismig

3 Daeargrynfeydd o dan y môr

4 Teiffŵn neu seiclon

5 Llygad

6 Trowynt

7 Ar y raddfa Fujita 0F – 5F

8 Llosgfynydd enfawr o dan y ddaear

9 O dan Barc Cenedlaethol Yellowstone yn yr Unol Daleithiau

10 Byddai'n gallu diffodd cyfrifiaduron a ffonau a'n gadael heb bŵer.

Mynegai